花とゆめCOMICS

スキップ・ビート！

第17巻

仲村佳樹

■ 目次

スキップ・ビート！

スキップ・ビート!

ACT.97 ラブストーリーは突然に
－エンディング④－

……あんた
……!!

ぎくっ

── キョーコ

!!

あ……っ

あまりにも無防備…いや

気持ち良さそうに

眠ってたから可愛…

…相かと思って

起こしてしまうの

ずっと寝顔を 下から観察されるくらいなら起こされた方が絶対マシです！！

←こだわりポイント

しかも…っ

気分の優れない

敦賀さんをさし置いて

私がグーグー寝ちゃってるなんて…！！

恥ずかしい――！！

一体どんな顔してればいいんですか――！！

…その事なら

…本当ですか

…本当ですか……？

本当

おかげでもうすっかり良くなったよ

自分でも

…ありがとう
…

不思議だと
思う──…

この子がしてくれる
俺への心配が

"自分の責任"
からなのだと
わかっていても

大丈夫ですかぁ!?
敦賀さぁぁぁんん!!

それでも

…良かった

この子の中で
俺の存在が

不破と比べて
どの程度のもの
なのかわかって
いても

おい
そろそろ
戻らないと

は…

そ…
そうですね

──もしか
したら

最が…っ

!!!

あ

!!!

!!!

少しは
『ただの先輩』以上に
なっているのかと思ったら

代マネの時には
あんな慈愛は
感じなかった
もっとシンプ平器
的っていうか…

…いや…
まぁ…今回も
思い違いかもしれ
ないけどな…

…そして

本当に『ただの先輩』
以上になってても
変に欲が出てきそうで
かえって困るんだが…

憎ッジレンマ

溺わら

……っ

!!!

むなしい
受け入れ体勢

ひゅっ

あっ

ぎゅっ

これは…?

すりぶん小さなサイフだね

!!!

…そっっっ

まままま魔除けの魔法…

お守りですからあああ

それはぁぁぁ

ん？

それはっ

勇気と自信を与えてくれる

……!!

あわわわ

あぁぁぁあぁぁぁぁぁじゃぁぁぁ

かかかかか返して下さいぃぃぃ

お願いしますゃなびび来してくださいでね見よせぬね

…サイフがお守りなんだ

14

守ってあげるのに……

俺が

……

……こんな…

…へ…？

頼りにはならないのかな

……俺じゃ

いろいろ身を守るものを持たなくても

は！？

そ…っ

そんなっ とんでもない!! 違います!!

むしろ逆です!!

…？

その武器とかの意味は!! 昨日までの私なら身を守るために持ってたかもしれないんですけど

今の私はもしアイツにV・Gに遭ったら

叩きのめす
つもりで持って
るんです!!

…違うんだ
……

…昨日の夜
までは

えへへ…

すごく恐かった
んです…

また V・G に会ったら
どうしよう って…

気持ちで負け
てるっていうか…

敦賀さんが
ホテルに居るって
緒方監督から
聞いた瞬間

そんな恐さ

どこかへ
吹き飛んで
しまいました

…でも

昨夜

顔を見たら

…敦賀さんが

V・Gに負ける
気がしない

安心すら
した

居てくれると
思うだけで

眠らないやさしい
目くれる温かな私に
過ごしていいもの

…でも…

——勝つためな

…勝つだ…。

敦賀さんの
存在は

勇気と

自信を

…:

私に

くれるみたいです……

…っ

ごほ

ごほっ

あ──…

なら……
いいんだけど
……

…行こうか
本当に時間に
遅れてしまう

あっはいっ

あり
とれっ

うん
いかが

「勇気」と「自信」

18

眩しい

敦賀さんの魔法が……：……

もうできません
例の話はなかった事に
して下さい

…マジで?

アララ…
これは不破君や
仲間にバレたかな…

正体が

スパイダー君からの
メモが貼ってあった。

ほうら
このとおり

もう彼は使えないね

残念…いい駒だったのに

どうして?

レコーディング
終わるまで関係者の
出入り禁止にしたんだ
不破

不破

カンヅメ?

…っていう話を
小耳に挟んだんで

ポイントC※へ
行ってみたら

コレ

※楽譜の受け渡し場所

（DR）
ミロク

おそらくメンバーで一番腹黒いだろう19歳

レイ以外のキャラの性格設定がまだ未定のままとりあえず出されたACT80での彼は思えばずいぶん中性的な存在イメージで描かれたものでした。いや、やはり数で尚に勝とうとしてる人達だったのでいろんなタイプの殿方が居ないといけないかと思って……それが今ではもうすっかり顔もガタイも男らしくなって……（まあ…その方が私は描いてて楽しいのですが…ね…）ACT81にでレイの傍にミロクを付けた事で瞬間的に二人の出会いやら関係やらが脳裏を駆け巡った私……そんな訳で誰に披露するでもない彼らの過去を考えてて自然と決まったミロクの名前…一番最初に名前を決めてもらえたのは何を隠そうこんな風に出て来ると思ってなかった彼なのでありました。

いないいないみんなげんき

…

…うわ…なんてやる気なさそうな…

庭部ひらがな…

…飽きたんだ…
レイノ君…

不破イヤミ

…レイノ君がやる気ないんじゃな…

うーん…

…どうする

とっても不機嫌にキモち尾も尾もないんじゃ…

次出す新曲は既に録り終わってるし……

今回はもう引き上げるか……

なんか…やられっぱなしで引きさがんのも腹立つけどな～～

前に尚から盗った曲

ちり…

…レイノ

本当にやる気ねーの？

『カリスマ』とかって騒ぐのは女・子供だけかと思ってたけど

どうも伊達じゃなさそうだし

じゃ僕こう後スタジオ予約キャンセルしてくるよ

やめやめ引きあげるか

う～腹立つな～

ガタガタ

不破を

ちょっと益々闘志掻き立てられねー？

そんな本物のカリスマに

本気で

苦汁舐めさせてみたいって

その『本気』

プロフェッショナルな意味での『本気』なら

興味無い。

きっぱり

どうした。急にマジメになって。気持ち悪い。死期でも近いのか。

俺は元々音楽にはマジメな男なんだよ

昔から音楽で食ってくのが夢だったんだから

ヒドイな オイ

…

どこが

やっぱり?

あっはは

お前、元々本気で音楽活動する気無かったもんな

俺がひっぱり込んだんだし

…

25

ピクッ

…ニィ…

わっ

!!??

バッ

バッ

バッ

どっ
どうしたの!?
京子ちゃんっ

今…何か
すごく嫌な感じが
した……

…気…

気のせいだった
みたいです…

気がしたん
だけど…

…な…
何かしら…

は…ッ

……

…いえ

な…何か
居たの…?

あらぬ方向

じ……

！

お待たせ
しましたー
バス到着しま
した

あ

お

おーい

はっ

！！

顔顔

蓮

帰りのバス
来たみたいだよ

蓮

…え？

顔…？

俺の顔がどうか……？

…いや…
なんとなく…

コイツ…今&って
なったクセに。

役者め

顔が緩んで
るんじゃないかと
思って

…緩んで
なんていませんよ
失礼な

俗に言う思い出し
わらい？。

おや
そうですか

昼現場に帰って
来た時嬉しそうな
顔してたから

俺はまた

何かいい事が
あったのかと思っ
たよ

ありましたよ
いい事なら

パン
パン

どうせキョーコちゃん
絡みなんだろうけど
キョーコちゃんの横子に
さして異変が無い
あたり決して
革命的じゃない

そんなのは
破顔する程の
『いい事』だとは
認めてやらん
断じてだ！！

ダメだ

昼食を食べ
ずに済みました

…………

…まいった…

まさか不覚にも
社さんに目撃
されるなんて…

あ、今呼びに
行こうかと……

ば
ばったり

は
！！

ま、
さいけど

皆までも
きかすと

些細で小っぽけな
進展に喜びを噛み
しめてるんだろうから…

ふふ

…悪かったですね
些細で小っぽけな
進展で…

……

……

…なぁ…

別に悔しくも何ともないですね

それ程の男がそんな小っぽけな事で喜んでいるなんて

この日本で女性が最も抱かれたいと思っている男

…悔しくないかぁ

蓮…

社さんの言ってる事自体身に覚えないですから

……………

キョーコちゃんに自分の事で頭一杯にして欲しいとか思った事ない?

…蓮

お前さ

…君の―…

…キョーコちゃんみたいに男慣れしてなくて純情な娘

お前の遊び慣れたそのテクでもってチュウの一つも見舞ってあげれば瞬殺だぞ…‼

ガクガクでメロメロでお前の事以外考えられなくなる事必至だぞ‼!

わかってますよ。そのくらい。

遊び慣れたテクって何ですかまるでその目で見たみたいに…っ

おーい敦賀君〜乗らないの〜⁉

だから

踏み留まったんじゃないか―…

…そんな男慣れしてなくて純情な娘に手順も踏まずいきなり手を出したら

途中で

文字通り

この子の中から

敦賀さんより先に乗るなんて

彼女の

はい

…先に乗らなかったの…?

だって

私後輩ですし

できません

──それが

『常識』なのだとしても

——まずい

余計な

欲が

湧いて来そうだ
…………

ACT.97 ラブストーリーは突然に―エンディング④―／おわり

スキップ・ビート！

ACT.98 ラブストーリーは突然に
ーエンディング⑤ー

よっし!!

京子ちゃんっお土産全部荷物に収まったの!?

お土産結構買った上に元々荷物もわりとつまってたよね!?

はい!!収めました!!

え!?

ポン ポン

…そういう所を素直に誇れる京子ちゃんって可愛いよね…

→奏江命名だから誇らしい

収納上手

私っ所帯臭いので!!

それじゃあ百瀬さんっ私 緒方監督にもう一度挨拶してきますから

はーい

行ってらっしゃーい

今日

私は東京へ帰る事になりました

確か緒方監督ラウンジに居るって言ってたな

――ようやく

軽井沢での未緒のシーンを撮り終えて

一足先に

フィーン

キリン

ん?

1F

軽井沢へ来て
色々あったせいで
予定は多少狂ったけど

ヒュ───！

─ン…

本当に
あのバカ男
2人のせいで

…！！

後半はわりと
順調だったと
思う

あ…

ムカムカ

なんで
私が
こんな肩身の
狭い思いを
……！！

おはようございます

朝食ですか？

あ…

うぅん、私は
尚の着替えを
取りに来ただけ
なの

…へ…？

尚
今
レコーディングに
のめり込んでる
から

38

これからもお坊っちゃんよ

んまぁー!!
相変わらず
我侭放題だ
こと……!!

ありがとうね
キョーコちゃん
今回は

こっちへ帰って来る
時間も惜しいのよ

尚が色々
お世話になって

いえ…
あの…
私、お世話なんか
した覚えありま
せんが…

はぁ?

謝罪されるなら
ともかく何故
お礼を言われる
のかわかりません…

……

…キョーコちゃんに
覚えはなく
てもね…

…は

今回の
仕事のトラ
ブルを乗り
越えて今の
尚が在るのは

キョーコちゃんが居て
くれたからなんじゃ
ないかと思えてなら
ないから……

あはは

そんな
大袈裟な〜っ

『今の尚』って何
ですか!? アイツは
昔も今もたかが
知れて…

…?

…

…

…あの子…

これからもどんどん
確実に支持者を
増やしていくわ

表でも

裏でもね

──見てて…

これからの

あの子の成長…──

…丁重にお断り致します

ぶっ ぶっ

何故 私が見てなくちゃいけないのアイツの成長ぶりを

…お母さんじゃないのに…っ

ぶっ ぶっ ぶっちゅ ぶっちゅ

ぽっ……ん……

…嫌です…

い…っ たい なに 一体何しに…っ

…何って やっぱりね!!

…まだ何も 言ってないが

……

よかった！ あの川やの言う事 なんか信じてなくて〜!!

絶対また来る ような気がしてた!!

ふう

聞かなくても わかるわよ!!

私をイヂメに 来たんでしょう!!?

……

私をイヂメに 来たんじゃ ないんなら 何しに出て来た のよ!!

一体

…だから

何で…

…そして欲しい なら それも プログラムに入れて やるが…

おやすいごよう!

欲しくないわよ!!

誰かわざわざ

キンコン

え!? あれってもしか してVivGの レイ!?

え!? レイ!? レイ！？ わい わい

おる？ 何だ？？

…だ… 何だ？？

…お前を

攫（さら）いに…

…っ

魔界へ!!?

…………

…何か
また的外れな
答えをはじき
出したぞ…

何だ魔界って…
とてもイジメに来てんじゃ
ないって言ってんのに…

キョーコの脳内（のうない）
カイロはねじれ
こじれな上に
ひょっとして

そっち系※は
壊死してる
のか？……

私を魔界へ
攫（さら）うですって…?

ふんっ

※↑色恋（いろこい）

やれるもんなら
やってごらんなさい!!

この魔界人（モンスター）め!!

≡モンスター…
もしや竜（りゅう）の
事か…

言っておくけど
今日の私は

…始めていい
のか？　本当に
今ここで

俺は一向に
構（かま）わんが…

敦賀
さんっ

おはよう
百瀬さん

や

にこ

お…
おはよう
ございますっ

もしかして
京子ちゃん
ですか…？

ごめんね朝から
お邪魔して

あ…

いえ…そんな…

うん…そう
なんだけど…

あ…

今 呼んでもらっても
大丈夫そう…？

…あ…いえ…

それが
その…

今 京子ちゃん
緒方監督にご挨拶に
行ってて居ないん
です…

え…？
一人で…？

たしかラウンジ
だって……

え…？

一人で撃退できるなんて思ってないだろうな…!!

…という訳で場所も気持ちも改め

真相

こうもあっさり俺と二人きりになるってどういう事だ…

…こんな所撮られて…!!今後 私=未緒だって発覚したら大変じゃない……!!これから気願をくり返しようやくのれに未緒に野望なイメージつか。

まさかキョーコ俺が襲った事サッパリ忘れてんじゃないだろうな…

この魔界人め!!やれるもんならやってごらんなさい!!モンスター

できる気満々

どうでもいいが…ビーグルは俺の名前じゃないぞ…

お嬢ヅラ

おほほ

ちょ…っちょっと…!!ここでは皆様のご迷惑になりますのでこちらへいらっしゃいません事?ビーグルさん

…で…キョーコのお誘いで二人 人気の無い場所へ…

益々わからん

言っておくけど今日の私はこの間の私と違うわよ…!!

ふふふふ

なんたって今の私には勇気と自信を与えてくれる このっ!!

聖なる魔除けの魔法具があるんだから!!

神の御加護がありますように!!

"し——ん"

イメージだけ

カァー…

カァ…

ムラえ!!

…………………………

…あ…

かっ

神の御

あれ…!?

この石コロが何だと言うんだ?

むっ 無反応…!?

神がかりした

神がかりった

ぱちり

うあっ

平気で持ってる

私でさえ素手で持てない魔除けの魔法具を

…別に神にも仏にも通じる縁は感じないが

くりくり

あ

…!!!

スゲェ！スゴイ！！さすが魔界人！！

わ…っ
わかるの
……!!?

元々キョーコの
ものじゃ
ないだろ…

………
………

…その石

…石に

前の持ち主の思念が
しみついている…

…え…!?

バカな事言わないでよっ
これは私の大切な宝物

その石は負の
感情を受けすぎて
もはや凶気に満ちて
いる

お前…
それ…

…キョーコ…

捨てた方が
いいぞ

いはぁい？

俺が思わず打ち捨てる程には禍々しい

そこまで続いたのはモノを識るものがいないからだ

誰より禍々しいアンタに言われたくない!!

コーンの事悪く言わないで!!

この子が負の感情を受けすぎてるのは私のせいよ!!

私が悲しい事や辛い事この子に吸収してもらってるから

バカか

お前のそんなちっぽけな感傷比較にはならん

それを持っていた時

まだ元の持ち主も子供だったはずだが

およそ一般家庭の普通の子供が持つ感情じゃない

もしもソイツがそんな感情から逃れられない人生をその後もずっと余儀無くされていたのだとしたら

ソイツは今頃壊れるか

自分でこの世から
去っている

……？

ミ

…だから

…？

彼は元々
この世の人間じゃ
ないものっ

妖精界の
妖精だもの‼

そうよって人間界を
国へ帰ろうって人間を
失ったわ…寂しかったわ‼

…っっっ

だって

知ってるわよ
私そのくらい

ずっと昔から

…‼？

…本気で言ってる
のか…

本当にミステリな
女だな

…
こと

とにかく…

その石は捨てるか
浄化した方が
いい

ACT.98 ラブストーリーは突然に—エンディング⑤—／おわり

スキップ・ビート！

ACT.99 ラブストーリーは突然に
―エンド―

……──…あんた…

どう見ても

外…………!

『敦賀 蓮』

くすみ

確かにそれは芸名だけど？

普通

そういうのは偽名とは言わないだろ

それが何か？

…君は面白い事言うね…

……っ

……っ

じたばた

大あばれ

……っ

……

拳で…？

あんたみたいなのに
殴られたらデリケートな
俺なんかケガじゃ
済まない

……

…冗談だろ

……

!!!

…….

ジャリッ

あれは

キョーコで

あの石の
元の持ち主は

風貌こそ
まるで別人
だが

あれは

間違いなく

敦賀蓮——…!!

キョーコは全く
気付いてない
ようだが…

…一体

どうなってんだ

あの二人……………

……し〜〜〜〜ん……

……あ…

あ…の…

ミうわぁ……

絶賛発動中←

留めてある→

やだなぁ…こんな
ピリピリ敦賀さんと
二人きり…

キャッ
キャッ

…さっきは
ありがとう
ございました…

…助けていただいて

……

…

ようやくフォロー

スキビを描き始めて一番自分でも変わったと思うのは趣味ですかね……。それまでは全然興味なかったのですがスキビで取り扱う上で調べたりしていくうちに徐々にハマったといいますか……その…ハマりものというのはスキビといえば芸能界……ですが…決して芸能界ではなく……ええ…今でも基本的にアノ世界には興味無い…時折漫画に役立ちそうな裏話とかを芸能人の方がしてるのを聞くと喰いつきますがそうではなく…ハマッちゃったのは…石…天然石…です…スキビで取り扱ってる石といえばコーン（菫青石）ですがスキビ連載当初は今程石に興味があった訳でもなくキョーコの宝物（石）を何石にするか決めるのに鉱物の本を若干見ただけだったので菫青石についての知識も乏しかった……ただ色が変わるという特徴だけど菫青石に決めた感じで…ぃぃ…なので……ここでようやくフォローできる様な気がやって来たので書かせてもらいますと4巻で（菫青石『ウォーターサファイア』）とか書きませんでしたが一般的に菫青石はパワーストーンの本や鉱物アクセを扱っている石屋さんとか
－フヅク－

仲が良いん
だな

あの男が例の
ストーカーなのかと
思わずとび込んだ
けど

どうやら違う
様だ

馴れ馴れしく名前を
呼び捨てにさせたり
してるんだから

!!!

——俺には

違います…っ
あれはアイツが
勝手に…っ!!

ひ…っ秘密だって
別にあんな奴と
共有なんかして
ないし…っ

呼び捨てるなと
言ったクセに

コーンは
『キョーコ
ちゃん』って
呼んで!?

だから

…ち

君はまさかあんなインチキ占い師みたいなアイツのたわ言を信じてるのか!?

適当に言っても本名か芸名かどちらかで活動するものだ

でも芸能人なんて本名か芸名か $\frac{1}{2}$ の確率で必ず当たる

それなら俺も言い当てられたよ

『敦賀 蓮』は芸名だってね

君は本当に騙されやすいな!!

……

…?

…最上
…そうですよね…

…それなのに
それだけでアイツの言う事、心の中で否定しながら

それと同じくらい『もしかしたら…』なんて気持ちザワつかせたりして…

こんなだから 私いい様に利用されてボロ雑巾のようにバカ男に捨てられるんです

こんなバカ男以下の雑巾女死ねばいいのに

雑巾女って…

…いや…なにもそこまで

……

コーンが

……

…石に元の持ち主が居たなんて…

それだって

1/2の確率で当てられますよね…

…あんな奴の言う事なんて信じない
……

『自分でこの世から去ってる』なんて

……！

……｜｜……？ぇ

……｜｜……｜……？

……コーンは……子供の頃から悲しい思いや辛い思いをしてたって一般家庭の普通の子供が持つ感情じゃないって……

私なんかこっぱけで比較にならないって……

……

……アイツが言ったんです……

その上

そんな気持ちからその後もずっと逃れられない状況に居たのだとしたら

コーンは今頃…

…壊れてるか

82

…それ

—敦賀

偽名

蓮?

だよな…

…な…

…自分で……！

なんなんだ…

…アイツが言った事…どうしても秘密にしたかった訳じゃないんです…

…………

アイツ……！！

…ただ…

口に出して言ってしまうと…

なんだか

全部…事実だと完全に認めてしまう様な気がして…

私…

すごく辛そうな表情を
してたのに——…!!

もっとたくさん
辛い事が
あったはずなのに

コーンが…っ

私の話を聞いて
くれるのと同じ
くらい…っ

それなのに

もっと

コーンの辛い
気持ち一杯
聞いてあげれば
良かった……っ!!

——私

…っ

全然

——あの表情の
裏側には

わ…
私…っ

気付いてあげられ
なかった——…

…ごめん…っ

コーン…ッ

ごめんね…っ

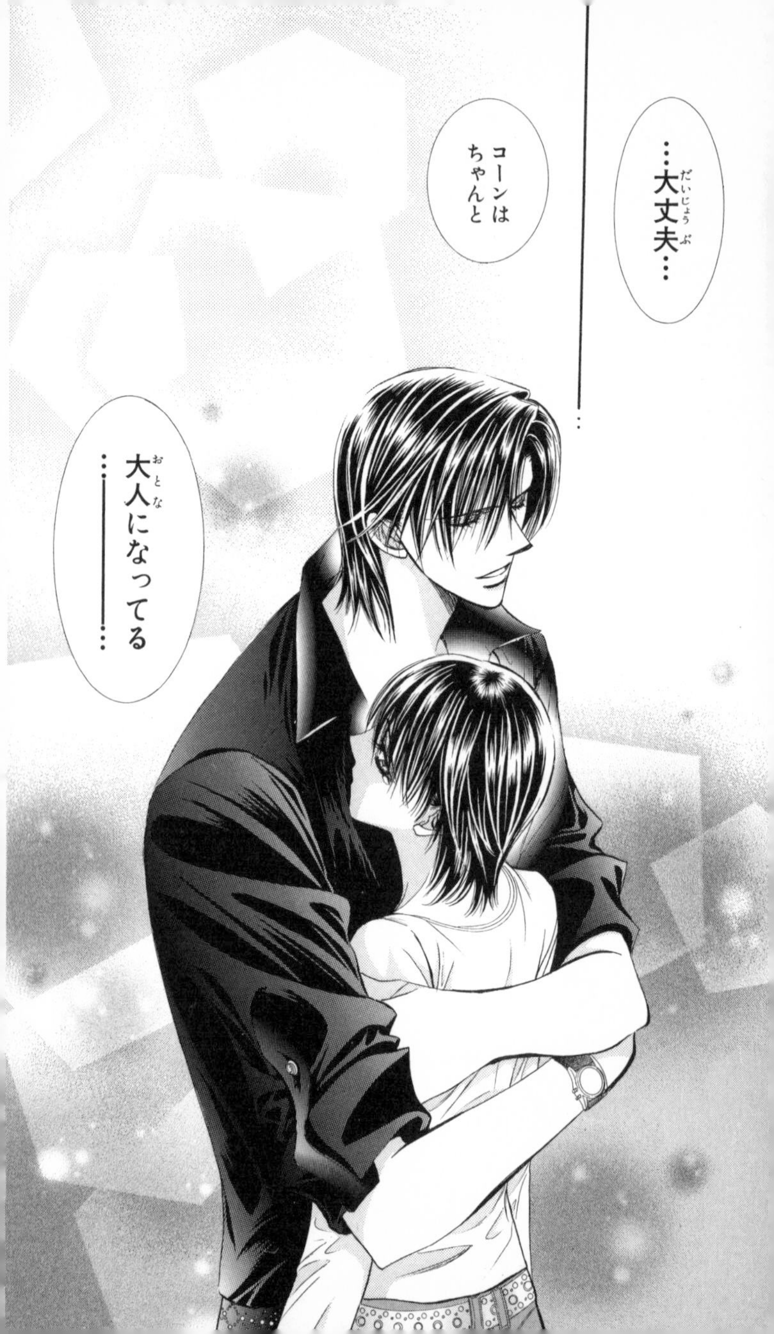

……大丈夫……
コーンはちゃんと
……大人になってる……

ミコク…

羽<ruby>羽<rt>はね</rt></ruby>だって
生<ruby>生<rt>は</rt></ruby>えてる

空<ruby>空<rt>そら</rt></ruby>だって

ミコク…

…疲れて
しょうがない…っ

もしかして…また
他人の過去を
覗いたのか…？

覗いたんじゃない
勝手に流れ
込んで来たんだ

キョン

ああいう年齢に
そぐわない荒んだ
過去の持ち主は

そんなにすごいのか
ある意味興味深いな

ソイツ

容量に収まり切り
なくて外にタレ流し
てるから始末が
悪い

…お前…

全く迷惑で有害な奴

一体どんな生き地獄を？

そんな事まで詳しい
事まで知るか

B
か4

次に会った時
見ようと思えば
見れるだろうが

フィーン…

俺は

二度と
ヤツには会い
たくないし

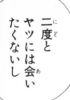

詳しい
過去なんか

見たくも
ない——

ミタンミ

ACT.99 ラブストーリーは突然に－エンド－／おわり

キャラクターコンテスト 結果発表!!

2007年花とゆめ4号で連載100回を迎えた「スキップ・ビート！」。
記念として行われたキャラクター
人気コンテストの結果です！

★4～10位★

第5位
琴南奏江
223点

第4位
社倖一
561点

第7位
レイノ（V・G）154点

第6位
ローリィ宝田
184点

第10位
宝田マリア
64点

第9位
怨霊キョーコ
（怨キョ）86点

第8位
緒方啓文
98点

第1位
最上キョーコ
2699点

第3位
不破 尚
699点

第2位
敦賀 蓮
2614点

スキップ・ビート！

ACT.100 スタートは好調！

第13位　36点　坊

第12位　39点　ミロク（V・G）

第11位　47点　黒崎潮

第16位　21点　本郷未緒

第15位　23点　だるまやの大将

第14位　34点　百瀬逸美

第21位　13点　七倉美森

第17位　20点　安芸祥子

第17位　20点　椹武憲

第21位　13点　だるまやの女将

第19位　19点　仲村佳樹

第19位　19点　石橋光（ブリッジ・ロック）

第23位　9点　上杉飛鷹

第26位　3点　松田（飛鷹のマネージャー）

第26位　3点　V・Gのベーシスト

第24位　5点　コーン　?

第24位　5点　麻生春樹

スパイダー

だるま

V・Gのギタリスト

キョーコの母

第28位　1点　松内瑠璃子

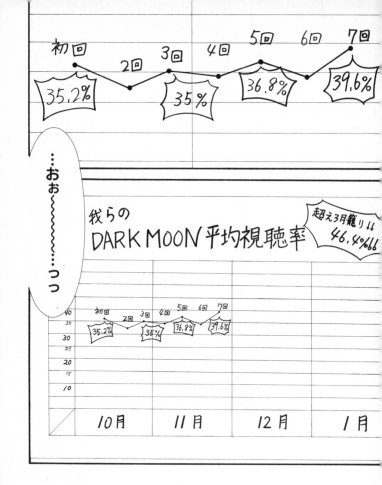

初回 35.2%

2回

3回 35%

4回

5回 36.8%

6回

7回 39.6%

…おぉ〜〜〜…っっ

我らの
DARK MOON 平均視聴率

超え3月籠り↓↓
46.4%↓↓

	40			
35	初回 2回 3回 4回 5回 6回 7回			
30	35.2% 35% 36.8% 39.6%			
25				
20				
15				
10				
	10月	11月	12月	1月

スカッ

スゴーイ!!
昨日の放送
30%乗るだけ
でもスゴイ事
だって聞きまし
たよー!?

今テレビドラマで
30%乗るだけ
でもスゴイ事
だって聞きまし
たよー!?

もう一息で
40%乗るじゃない
ですかー!!

今は昔と違って
テレビ以外にも
娯楽はたくさん
あるからね

働く女性も
格段に多いし

余程気にならなければ
ドラマを続けて見ようとは
思ってくれない

うん
そうなんだ

だからこそ

その状況で
月籠りを
超える
事に意味があるんだ

これからは
嘉月と美月の
関係が益々甘くて
切ない展開になって
いきますから

…

そうだね

大丈夫ですよ!!

このまま記録
のばせば捕らえ
ますよ!!

月籠り…!!

…って
京子さん
ゆっくりして
いていいの?

新しいドラマの顔合わせが3時からって…

あ

はいっ そろそろ失礼します!!

お疲れ様でした!!

はい お疲れ様

気をつけてね

はーいっ 行ってきまーす!!

京子ちゃん最近大忙しですね

未緒で話題になっちゃっていろんな番組に引っぱりダコ

ついには新ドラマ

正直ちょっと心配してたんですけど

京子ちゃんドラマ初めてだったし

未緒のイメージが強すぎて役者本人まで世間で憎まれるって現象に負けちゃわないかと

…ん…

でも僕らが心配する程 京子さん

全然気にしてないみたいだよ

どころか

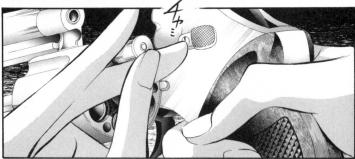

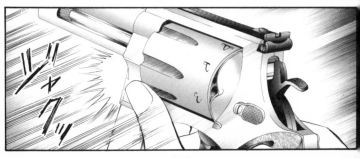

ダークムーンの　ダーク嘉月見た時に　ひらめいたんだよっ

絶対敦賀君　B・J　ハマるって!!

いい!!　やっぱり　敦賀君がいい!!

異議なしっ

素晴らしい!!

血も涙もない　凶悪な殺人鬼な　感じすごい出てたよ!!

はいっ　オモチャだって　わかってて　ちびりそう　でした!!

パチパチパチ

はは…

…ありがとう　ございます

敦賀君　僕らはこの映画で　日本を震撼させ　たいと思ってる

それにはB・J　という役は　実は主役より　重要だ

よくわかり　ます

はい

それで…話題を　さらうために　あるプロジェクトを　考えていて

実は

B・Jを誰が演るのか共演者にも告知しなければ制作発表でも公表しないつもりでいるんだ

ええ!?

クランクインは今年中か遅くても来年頭からを予定してる!!

それまでにはプロジェクトの基盤を完成させていこう!!

はい

面白そうですね

そのプロジェクト是非参加させて下さい

ええ〜〜〜〜!?

映画のエンディングでも名前出すつもりないんだよ?

奴は一体誰だったって騒がせたりから?

ふふゆわくしますねっ

見た人に敦賀蓮だと悟らせない演技をさせてもらいますよ

よろしく頼むね!!

よろしくお願いします

はい

さっ

ぎゅうっ

...ぶ...

すぅ....

...どうしたんです？
社さん
難しい顔して

.....

...もしかして...映画の前でも後でも一切俺の名前出さないって事ですか？

もしかしなくてもそうだよ!!

...気に入らん...

菫青石＝菫名 コーディエライト

ジュエリーショップ等では『アイオライト』という名称で知られ売られているという事。『ウォーターサファイア』も稀にした通り名なのですがおそらく…流通してるのは『アイオライト』の方じゃないかと……あの時はまだ知らなかった事とはいえ石好きの方からいったら常識だったでしょうに……。

今でこそ私も少しは石の名前くらいわかる様になっているので尚更恥ずかしいエピソードです……

…そんなこんなで天然石にハマってからは色々一目惚れした石などを購入したりしたのですが未だ肝心なアイオライトは手に入れていません……何度かストーンショップで見かけた事はあるのですが『ッ、これば』というモノには出逢えなくて…。いつかはコーンの様な『魔法だよ』と言える程スゴいの(色変わりか)を手に入れられたら嬉しい社……。

…ちなみに…読者様からいただいたアイオライトを使った手作りの携帯ストラップやブレス。ありがたく大切につけさせてもらっています。天然石といえば全然興味の無い方から見れば『ただの石コロにそんな金払うっか?るバカじゃん!?』と思われても仕方のない程

—コブ・ぐ—

時々自分の抱える闇を開放する『嘉月』と違って『B・J』って闇の塊だから

…実は俺もその方が演りやすいんです…

そりゃっ……っ

そうだけど

監督だって何も一生公表しない訳じゃないって言ってたし

それに何より

事前に周りに騒がれると

…集中…

封印した俺の闇を全開する事に

怖じ気づきそうで——……

できなくなりそうで——……

…そういえば

この仕事 受けるって
決めるのに蓮
3日かかったもんな
……

…お前がそう
言うんなら

…すみません…
ありがたいと思って
ます…俺のためを
思って…怒ってくれ
てる事……

俺が文句言う
権利 無いんだけど
さ……

いや〜〜
いいって事よっ

あはは

あらたまるとな
んか恥ずかしい
ってゆーか

そういえばずっと
聞きたかった事が
あるんだけど

ここ

なんです
か?

お前

タバコ 吸う奴
だったんだな

じ

いいえ
社さん
…

吸いませんが

今は
だろ?

俺はだまされないけど

ふふん

初めて吸う奴は
火を付けた直後
噎せもせずいきなり
煙を肺まで循環
させない

…っ

当ててやろう

お前は18でタバコをやめた男だ!!

この法律違反者めっ...

子供の頃家にあった銃でよく遊んでたんです

...お前...親までモデルガンマニアなのか...筋ガネ入りだな...

...17なんだが...

...ご想像におまかせしますよ...

！...

そういえば銃の扱いも初心者的なものを感じなかったぞ

お前さては

はいはいそうですよ

HAPPY CENTER

京子ちゃん

お疲れ様〜

お疲れ様

また休日

はーい
よろしくお願い
しまーす

はいっ

やあ
お疲れ

お疲れ
様でしたっ

あのさ今回の
京子ちゃんの『ナツ』役
なんだけど

はい

役どころ
難しく考え
なくていいから

…は？

ダークムーンの
『未緒』っぽく
演ってくれれば
OKだからっ

てか『未緒』で
演って？

…

あの迫力が
欲しいから〜

ねっ

ポン
ポン

強いて
言えば

明日なんだけどさ
最上さん ちょっと
事務所に顔
出せる?

また今日 色々
仕事のオファー
入ってきたから
見せときたいんだ

すごいぞ!! その
オファーのうち3つは
ドラマだ!!

!!

本当ですか!?

おお!!

!!!!

わ…っ

わかり
ました!!

必ず明日
伺います!!

…ああ…っ
どうしよう
困っちゃうわ…!!

失礼
します!!

はいっ

ああ
待ってるよ

信じられない
わ…!!

…すっっっ

ピッ

…っっごい
っ

一度に3つ
かぁ——!!!

よもや自分が
こんなにも役者として
一度に複数の人々から
求められる時が
来るなんて…!!

私　今度はファンタジーな
物語の主人公を助ける
妖精とか演ってみたい
な～～～～

容姿は美しい
クリスタルな雰囲気で
光の羽からこぼれ
舞う光の粉が
オーラの様に身を
包んでるの!!

キュイティ
ビュ～ティ

もちろんフルに
魔法とか使って～

うふふ

今回の『ナツ』役も
フルで出番がある訳じゃ
ないし

役所によっては
もう一つくらい仕事
受けてもやれるかも
……

ムリッ
無理無理!!

私にコーンの真似なんて
できる訳が
ない!!

ぶる
ぶる

できても
もっと位の低い
妖精よ!!

ー…!!

ー…!!

…コーン…

ー…!!

まるでコーンじゃ
ない……

…それって

羽だって

生えてる

大人になってる

……どうして……

空だって

ちゃんと飛んでる

何の確証も無いのに

あんなに

安心(あんしん)

…しちゃえたんだろう…

…なんか…訳(わけ)のわからない説得力(せっとくりょく)があるっていうか……

――…もしかして…

敦賀(つるが)さんってなにか不思議(ふしぎ)な力(ちから)があるのかな

…香(かお)り…

たとえば…人(ひと)をリラックスさせる生体(せいたい)エネルギーとか…香(かお)りとか…

…そういえば…敦賀(つるが)さんの腕(うで)の中(なか)…

とても

いい香(かお)りがして

あたたかくて

どぉ？

！
…！

…どぉって

…これ…

京子　様

依頼書

ドラマ
『東京ミ

ドラマ
『この愛の企みを』

全部…

…あの…

嬉しくない訳じゃ…

…べ…

…別に…

自分の仕事が評価されてる事は

だろう？

私

すごく嬉しいんです

だったらほらっもっと素直に喜んでっ

…は…はぁ…

でも…

じゃ それ持って帰っていいから どれ選ぶか ちょっと検討してみて

は…あ…

は…はい…

ありがとうございました!!

もっと

127

未緒とは違う

——そう思ってしまうのは

…なのかな……

分不相応で

贅沢な事

——新しい役を演ってみたい……

ACT.100 スタートは好調！／おわり

スキップ・ビート！

ACT.101 接近!! ダイナマイト・スター

社長室

——…ぁぁ

俺も
そう思う

むこうに
そこまでの余裕は
まだ無いだろう
しな……

あまり期待
せん方がいい

…だが…
しかしだ…

彼女の気持ちを
考えると辛い
ものがあるのは
確かだ……

あ
その話
うまくまとまる様
俺もできるだけの
事はしてみよう

ああ
わかった

ではまた

来月12日に
会おう

ピ

…
困ったぞ…

…さて…

できるだけの事は
するとは言ったものの
一体どうしたものか…

デリケートかつ
ややこしい問題だけに
無理強いはさせたく
ないしなぁ…

うーくん…

ミギ

トン
トン

最上君と？

京子 様
依頼書

ドラマ『この□□□ドラマ『□□□□ラン』

花ゆめCOMICS
四国巡礼
恐物語
有通ルナ

…は──

よろ
よろ
のろ
のろ

どれもイイ子だっ
子なのに……

…コレ…
…どうしても
この中からどれか
選ばなきゃ
いけないのかな…

…なんて因果なの…
昔は自分がイヂメられっ
子だったはずが…

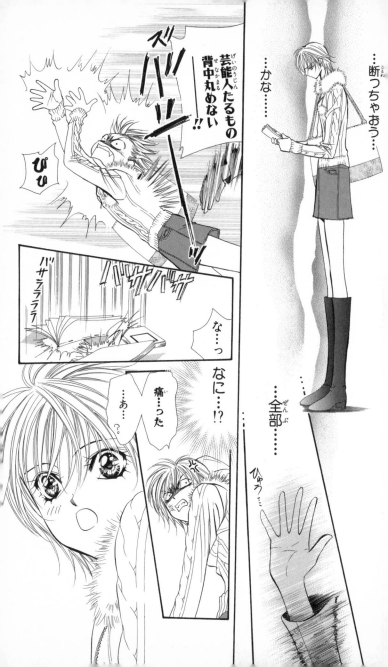

いつも無駄に姿勢のいい
あんたらしくもない

どうしたのよ

何かあったの？

はぁっ

モー子さーーん ——!!!

きゃあああんっ

久しぶりー！

え〜ぶり

ヒサ゛リ スゲ

…ふくん…

…うん…

SECTION
1983-8 production

それで全部断っていいものかどうかあんたは悩んでるわけね

だって あんたの話だとどれもこれも『未緒』っぽいって言われてるんでしょ？

うん

そんな同じイメージの役ばっかり演ったって演技者としての技術は磨けないもの

そ…っ

…モー子さんならどうする…？

…そーね…

もし私があんたの立場なら

断るわ。

ぜんぶ？

どきっぱり

あ…

や…っやっぱり

…？

そして
ようやく元通り(2)

何が元通りかと申します
と……キョーコです!!キョーコ
の髪色でございます!!
ようやく……!!ようやく黒髪
から白髪(カラーで言うと
茶髪)に戻りました……!!
(ACT100からの未緒ヅラ
は元のロングの未緒ヅラ
を再利用したものです)
……はぁ、長かった……!
……辛かった……!!……私
の場合つやベタのキャラ
って白髪キャラよりサも
面倒臭い工程をふまえ
ないといけないので
仕上げに白髪キャラの倍
時間がかかるのです……!
……なので、モノクロでキョー
コの黒髪を描かなくて
いいのかと思うと正直ホ
ッと一息……!!……そんな事
なら前作(クレパラ)なんか
……いや、MVPもか……!!
ずっと辛かったのか……と
訊かれると別にそれ程
でも……工程は同じなの
ですがタタタッとスギビ程
絵やペンタッチにこだわっ
てなかったからかな……!
だから前の1/4は今では
考えられない驚異のスピ
ードで仕事してました……
……それでモノクレパラの後半
になると絵にもペンタッ
チにも良を違う様になっ
たのですが……クレパラ
キャラで黒髪でも大半が最
線、大分略して描かれてた
からね……!!

あはは〜んぷ
うふふ〜ん♥

ヘラヘラ

ニマニマ

初めて
呼ばれて
嬉しい

キョ〜オ〜コ〜
キョ〜オ〜コ〜
私は〜キョ〜
オ〜コ〜♪

ランランラ

ランランラ

この喜びを
アナタにも〜

わけて…あげる

やっぱりチョロかった

きは〜ら

うぬぬうう〜っ

もう忘れた

ああ
もう〜っ焦って
あの子の気をそらした
とはいえ…っ

恥ずかしいな
もうっ

もうちょっと違う
事言えば
良かった…!!

…本当
ウカツ
だったわ…っ

今日　会った時に
元気なかったから
あの事をもう知ってる
のかと思ってうっかり
口滑らせて…っ

テレビ見ないあの子が知ってる
訳がないのよ…!!

よく考えれば
どうせ今見てるテレビなんて
ダーク・ムーンくらいでしょ
それもビデオ

一緒にアイスを食べ
たいとおねだりも
されましたのよっ
それも殺人的に
かわいらしくっ

この方
聞いてください
わたくし今日彼女に
呼びすてにされ
ましたのよ〜

うふん♪

…よ…
よかったね…

あの
行って
いい？

…まぁ…

え〜へ〜
あ…とう

うふん♪

…恥ずかしい
けど…

本当の話
するよりか
マシだわね…

だって本当の話なんか
して 悔しがるなら
まだいいけど

―だから
困るのよ!!

間違って今度こそ
本気で落ち込まれたら
どうするの…!?

私っ 慰め方
なんて知らない
わよ…!?

目の前で‼

本当に知らないのよ…‼

…アイツの…

あの子に
傷ついた顔され
るの…!!!

チラ…

不破尚の話なんかして…

にょっ

モー子さん♡

ぎゃああああっ

ひっ…っ

ひっどーーーいいいっ!!
何ーー!?それ
一体どういう悲鳴ーーー!!?

あんたがいきなり
出て来るのがいけ
ないんでしょ
ーーー!!?

うっ
ラッ

うっるさい
わねーっ!!

モーッ

い…っ
いきなりじゃ
ないもんっ

2回も声ん
かけたもんっ

ほんやりして
たのモー子さん
のくせに

ん?

ゴロゴロ
ゴロゴ

ん?

…っ

おーっ
居た居た
最上君

おーーいっ
っ

わーーっ

ゴロ
ゴロ
ゴロ
ゴロ

ゴロ

ゴロ
ゴロ

ちょーっと君に
頼みたい仕事が
あるんだがねーーー!!

ゴロ

…ん…？

…… ラ ……

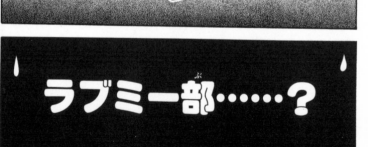

ラブミー部……？

そら耳…？

NO.3

キャッ
キャッ

わり

ゆい

ラクルク
直に見える
逢真ちゃん

居るっ？

居る居る

きゃー
貴島さーーッ
敦賀さんもー
こっち向いて〜〜

キャッ
キャッ

まーそう
だけど

ある程度は
仕方ないんじゃ
ないのかな…

…

…今日も
ポッポッと
見物人が居るね

…あ…
…一般人じゃ
ないから
ね……

DARK MOONの新入り共演者
貴島秀人
(蓮とは他のドラマで共演経験有)

…はっきり言って
見物人に男がいても
嬉しくないって
いうか…

はは
相変わらず
だな…

まさかっ

ぐぐっ
はっ

最悪!!

NO!!

未緒が美月の味方に
なる展開になって
いくと今の美月見物人に
未緒見物人が＋されて
もっと男の見物人が
増えるんじゃ…!!

いや…

…まぁ　それは

無いか

どう転んでも
未緒だしなっ

しょせん美月の魅力には
かなうまい！
絶対逸美ちゃんの方が
男のツボだしね

はは

ところで敦賀君っ

敦賀君っ
大原
さんの携番
知ってる!?

え?

ええ!?

…いや…
知らないよ?

操役→

じゃ
逸美ちゃんは?

あは…

…残念

婚約者
なのに!?

ウソォーっ

もー……っ
思い出しただけで
ストレスがたまる…っ

あの後　よく何も
せずに我慢
したよ

……えらいよ　俺

頼むから　あの子と
二人で居る時には
絶対思い出す
なよ　俺……

ざわ

ざわ　ざわ　ざわ

……ん？

…なんだ…？

急に向こうが
騒がしく
なったな

ざわ　ざわ　ざわ

もしや
貴島が
何かやらかし
たのか

えーー!!

本当に〜〜〜!?

ざわ　きゃあ　きゃあ

富士の報道部
からの情報
らしいから
本当だよっ

らおーーっ

かっ
……っ
監督

コチン
コチン

…っ

……う

大丈夫ですか…!?

う…っうん
…………っ

だ…っ
大丈夫…っ

あ…
敦賀君!!

これっ

…何の騒ぎ
なんです…?

すごいよ!!すごい
ニュースが入って来た
んだ!!

大変なんだよ…!!

…え…?

大丈夫だけど…っ
ど…っ
どうしよう…っ

ざわ
ざわ

どよ
どよ

嬉しい様な…っ
怖い様な…っ

わっ
わかり
ますっ
その気持ち
!!

?

…
…あの―!

来月の12日!!

映画のPR兼ねて日本に帰って来るんだ!!

日本が誇るハリウッドスター
クー・ヒズリ…

いやっ

かつての『嘉月』

『保津周平』が!!

…そ…っ

そんな…っ
超VIPの
お世話係を
私にやれと
……!!

うん。

もは、

普通そういう
人にはそれなりの
お付きの人が
いるはずじゃ…!!

ああ
まあ
普通
普通なら

でもアイツ
普通じゃ
ないからね

今回供は無理なんだ

この社長に
普通じゃないって
言わしめるって……
一体どれ程の
変人……!!

…っ
嫌だ…っ
そんな人の
お世話……!!
したくない……!!

むフフ

無茶
です!!

っていうか!!

まぁ
そう気負うな

所詮奴とて俺の元から巣立って行った
いうなれば君の先輩だ

君は君らしく
ごくごく自然に
普通〜〜〜に
してればそれで
いいんだ

…はぁ…

いいねっ

そうしたら
絶対
総ての事が
うまくいくから♫

にィ

…はぁ…

ACT.101 接近!! ダイナマイト・スター／おわり

新東京国際空港
Naika-Terminal 1

——私は今日

なんとも納得
できない気持ちで
ここに居ます

これだけの報道陣を
集める超VIPの

日本滞在中の
お世話を命じ
られたのが
何故 私なのか

ざわ
ざわ
ざわ

キャー
キャー

ざわ

その仕事を

おまけに

なくに？
アレ…

さー

ざわ
ざわ

それに
何より

一応出迎え
なのかしら

それにしても
後ろの車とミス
マッチじゃない？

ま～

どよ
どよ

AIRLINES

超長い
ゴージャス車

久方ぶりの
ラブ♥ミーツナギ

スキップ・ビート！

ACT.102 ふ・た・り☆のファイアボール

…全くもって本当に

まさか

ザワ ザワ ザワ

私未緒なのに…っ今一番熱いドラマに出てて話題の人なのに…っ

……

今になって まだこのラブミーツナギを着るなんて思ってなかったわ

しかし誰にも気づいてもらえず!!

↓

すごい色のツナギよね

LMEの関係者らしいぞ

何のパフォーマンスだ

ザワ

ツナギの魔術と未緒の時とはあまりに別人のため

ええ〜〜!?

むっ むっ

だいたい『ハリウッド映画史上最高のアクションスター』とかいう称号を持つ俳優ならそれなりのお付きの人を自分で連れてくればいいじゃない!!

…私だって他人のお世話をやいていられる程

時間にも心にも余裕が無いのに…

それが何故か私の…!?御世ないっ!!。

お嬢子さんいっぱい居るんでしょ!?

ああああぁっ

はっ

アイツ 普通じゃ ないからね

······

······確かに 普通じゃない わよね···

······日本から アメリカに活動の 拠点を移す からって

アメリカでは 本名で

······っ

一から 出直すと 言って

日本での芸名

······ずっ

······来ちゃった

······

『保津周平』の

クゥ〜〜ウツ
クゥ〜〜ウツ
キャッキャッ
キャッキャッ

お帰りなさいましーーー!!

…あら…

来たーーー

♡♡

クー・ヒヅリ

日本に

どうやら来たみたいね

さわいでる
さわいでる
おとなりさん

…そうみたいですね…

NO.3

なんか皆 ちょっと
浮かれすぎよね〜

いくらクーが昔
『嘉月』演ってた
からって

……ん?

にょこ

← アンテナ

別に　私達『DARK MOON』関係者が彼に会えるわけでもないのに

…俺達は彼に会えなくても

彼は俺達を見る可能性が全く無いとは言えないですからね…

一応『月籠り』の記録に迫ってますから

え？

それについて報道陣が彼にコメントを求めるかもしれない

なるほど…っ

たしかにどんな大物になっても　自分が作ったと言ってもいい記録が破られるかもって聞かされたらちょっとは気になって見ちゃうかもねっ

しかも同じドラマだし…!!

おまけに　クーの帰国熱に乗っかって日本の報道番組なら

……

違う‼

いや

日本へ到着したんでしょ

…知ってますよ

…

今テレビでクーが‼

ドタバタ

たっ 大変だっ 今‼

違わないけど‼

そうじゃなくて‼

そこじゃなくて‼

?

…何…どうしたんです…？

…ピタ……

あの…

…俺は 見た…

一度見た者の目に焼きついては離れない 魔のユニフォームを…

ニホンソニ

………

…は？

あれ…っ

一瞬だった
顔も映ってなかった
でも絶対間違いない…!!

クーが乗った車に
一緒に乗り込んだ
あのドピンクツナギ!!

と、

↑栗毛の髪!!

絶対 キョーコ
ちゃんだ!!

!!?

なんで
キョーコちゃんが
クーと行動
してる──!!

PM 6:40

庶民には拝むか愛でるかしか許されない
超高級 東京インペリアルハワードホテル

の

最上階

庶民には拝む事すら許されない
インペリアル フロア スペシャル
スウィート ルーム

どこもかしこも無駄にゴージャス

の

の

もう100回‥‥

前巻のキャッチフレーズコンテストにひき続き初めて開いていただきました♥♥キャラクターコンテスト(人気投票)!!100回記念という事で開いて下さったキャラコンだったのですが嬉しいと同時にもう100回もやったのか…という事実の方が改めてビックリでした。…というのも100回やった気がしないというか‥‥とにかく100回到達というのがすごく早かった気がします。(クレパラの時より…♥)それはやはり絵の事に一杯一杯で気持ちに余裕があまりにも無かったからなのでは‥‥と自分では思うのですが‥‥(笑)…何はともあれここへ来てキャッチフレーズコンテストやらキャラコンやら開いていただけたのは一重に読者の皆様が応援して下さったおかげでございます。前作とは違い連載100回を越えてもなお性懲りも無くまだ終わりが見えて来ないスピードですけど‥‥これからも皆様のご愛顧賜る事ができます様頑張りますので(余裕の無い仕事ぶりで)この先も温かく見守っていただけると幸いに思います。何とどぞよろしくお願い致します。

ペコリ

m(＿＿)m

…で…っ

できたああ

うは

ああ

ぱぱらっ ぱらー

♪♫

1時間30分でよくできたわ!!

私——!!

今程自分をすごいと思った事な～～～～いいい

見て!! この高級料亭の様な美しい京都料理の数々!!

wow!

エクセレント☆ファンタスティック!!

素人の作とは思えない!!

一日でこんなに自画自賛するのも初めてかも…!!

しかも…っ

私!! 天才かも!!

イェーッ

見た目だけじゃないわよ!!

この仕事を頼まれてからというもの

味つけだって料亭級を追求研究してきたんだから!!

古い記憶をよびおこし!!

ヨウタローの旅館の

母国に着いたら母国語話さんかーーい!!
この非国民めがーーー!!!

どんなにか言ってやりたかったか～～～!!!

くぅ～っ

だけど文句なんか言えるハズもなく
……………!!

SP

車内

……!

疲れた。とりあえず寝る。夕食は7時っ 1秒も遅れるな!!

ペラペラペラ

超早口

ホテル

メニューは聞いてるな
京都料理っ 飯は必ずお櫃に入れて
魚は生と焼き魚の両方 汁物には絶対柚をわすれるな!!

一挙まくしたて

以上 時間までは何があっても起こすなよ!!

バタン!!

………
………っっっ

……っ

ふん

アンタの注文を全部揃えたわ!!

ノープロブレムよっ

Mr.ヒズリ!!

これでも文句ある!?

おひフ ご飯♡

ゆず入り 吸い物

焼き魚

おつくり♡

準備万端!!
後は奴を起こすだけ!!

何だ…ちゃんと英語聞きとれるんだな。

ふん!?

!!????

空港からノコノコついて来たから理解してないのかと

スラスラ

日本語

ポリ ポリ

コリ ポリ

Rocky Mountains
BUTTER TOFFE

つまらんなせっかく言った通りにできんやつだって役立たずって怒鳴りちらして叩き出すつもりだったのに

ザーッ

!!!!????

…しかし

何だこの椀物は

…………っ

は…っ!!??

……っ

しょっぱすぎる!!

…それはたった今まで貴方が大量にポップコーンを食べてたせいですよ。

何ですかいい大人がごはんの前におやつ食べてるなんて。

ああ だが

わたし申し訳ないがこのホテルで一番いいルームサービスを用意してくれないか

あっはっは

!!!

ああ いやいや

洋食で一向に構わないよ

…ふ…

よければもうこの際何だって

…な…!?

…確かに

わたしは京都の育ち
だから

日本へ帰れば
京都の料理は
必ず食べるが

旨い料理が
食いたけりゃ

お前の様な素人が
作る料亭くずれの
クソな料理が食べ
たいなんて一言も
言っていない

金を積めば
いいんだからな

…食べる気なんて
なかったんでしょ…

……

…元々

……

この男は

『私には
この仕事は荷が
重すぎます』

『どうかやめさせて
下さい』てね

……だったら…?

——…わかってた

私には
文句があるなら
言ってもいいぞ

初めから

そして社長に
こう頼めばいい

何故か

そうとわかってて

おとなしく引きさがる私じゃないわ——!!

!?

こんな

私

自分でさせていただきます♡

すみません
社長にお電話
なら

訳のわからないケンカを
売られたまま

ぱちり

ACT.102 ふ・た・り☆のファイアボール／おわり